Le

petit

Chaperon Rouge

Illustré par Graham Percy

Il était une petite fille
qu'on appelait le Petit Chaperon Rouge
parce qu'elle portait un joli manteau
rouge à capuchon que sa grand'maman
lui avait fait.

Un jour, la maman du Petit Chaperon Rouge
fit une délicieuse galette.

Elle dit au Petit Chaperon Rouge:
«Va porter cette galette à ta grand'maman.
Elle est un peu malade,
cela lui fera du bien.»

Le Petit Chaperon Rouge se mit aussitôt en route,
sautillant sur le sentier de la forêt.

Mais, soudain,
le loup sortit
du bois!

Le loup aurait bien volontiers dévoré
le Petit Chaperon Rouge sur-le-champ,
mais il n'osa pas à cause des bûcherons
qui travaillaient non loin de là.

Il préféra lui demander:
«Où cours-tu donc ainsi?»

«Je vais voir ma grand'maman et lui porter cette galette,» dit le Petit Chaperon Rouge.

«Demeure-t-elle bien loin?» demanda le loup.

«Elle habite
de l'autre côté
du bois
près du moulin.»

«Ah!» dit le loup
et après un moment
de réflexion,
il ajouta: «Dommage!
Ce n'est pas
mon chemin.
Au revoir
donc!»

Et le loup partit en courant à travers bois.

Le Petit Chaperon Rouge
continua son chemin, en
s'arrêtant pour ramasser des
noisettes et cueillir des fleurs.

Le loup sournois alla tout droit
à la maison de la grand'maman
et frappa à la porte.

«Qui est là?» demanda
la grand'maman du
Petit Chaperon Rouge.

«C'est votre Petit
Chaperon Rouge,» répondit
le loup d'une voix haut
perchée.

«Entre, mon cher
enfant!»
répondit la Grand'
maman de son lit.

Aussitôt le loup entra,
mangea la vieille dame,
mit sa chemise de nuit,
son bonnet de dentelles,

ferma la porte,

et se fourra dans le lit,

quand le Petit Chaperon Rouge
vint frapper à la porte.

«Qui est là?»
fit une drôle
de voix rauque.

«Grand'maman doit avoir
attrapé un très gros
rhume pour être
aussi enrouée!»
pensa le Petit
Chaperon Rouge.

Mais elle répondit:
«C'est moi,
le Petit Chaperon Rouge.
Je vous apporte la
bonne galette
que maman
a faite.»

«Entre vite,
mon enfant!»
cria le loup.

Quand le Petit Chaperon Rouge entra, le loup
s'enfonça sous les couvertures
et dit: «Pose la galette sur
la table et viens me donner
un gros baiser.»

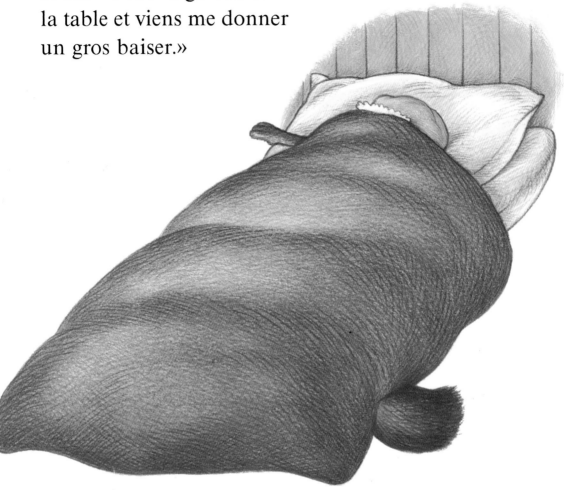

Le Petit Chaperon Rouge approcha du lit et vit
combien sa grand'maman semblait étrange.
«Grand'maman, comme vous avez de grands bras!»
dit-elle. «C'est pour mieux t'embrasser mon enfant!»
dit le loup.

«Grand'maman, comme vous avez de grands yeux!»

«C'est pour mieux te voir, mon enfant!»

«Grand'maman, comme vous avez de grandes oreilles!»

«C'est pour mieux t'entendre, mon enfant.»

«Grand'maman, comme vous avez de grandes dents!»
«C'est pour mieux te manger, mon enfant!»

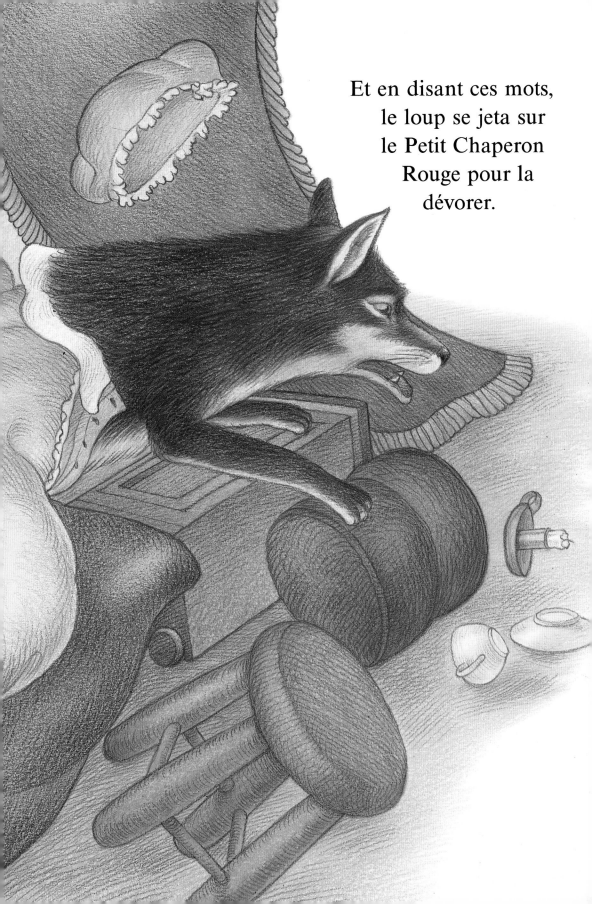

Et en disant ces mots,
le loup se jeta sur
le Petit Chaperon
Rouge pour la
dévorer.

Mais un chasseur passait heureusement par là,
entendant un grand branlebas. Il entra juste
à temps pour sauver le Petit Chaperon Rouge.

Il tua le loup, lui fendit le ventre, et la grand'maman en sortit vivante.

Tout le monde était content. Le chasseur remporta une magnifique peau de loup, la grand'maman mangea une délicieuse galette pour son goûter.

Le Petit Chaperon Rouge promit qu'elle serait plus raisonnable en traversant les bois et ne parlerait plus jamais au loup en chemin.